Y0-ABB-351

Un livre pour enfants sur

LA TRICHERIE

Conseillers à la publication: Jean-Pierre Durocher
Chrystiane Harnois

Conseillère à la rédaction: Amanda Gough

Dépôt légal, 4e trimestre 1995
Bibliothèque nationale du Québec

ISBN 0-7172-3129-1

Imprimé aux États-Unis

Un livre pour enfants sur

LA TRICHERIE

Texte de JOY BERRY
Illustrations de BARTHOLOMEW

GROLIER LIMITÉE
Montréal

Voici l'histoire de Samuel et de sa sœur Julie.

Nous y parlerons de ***la tricherie***, de ses conséquences et de comment tu peux y remédier.

JE DEVRAIS AVANCER DE CINQ CASES, MAIS JE VAIS AVANCER DE SEPT PENDANT QU'IL NE REGARDE PAS.
HRC

Presque tous ceux qui jouent à un jeu veulent gagner. Mais il n'y a qu'un seul gagnant, et un ou plusieurs perdants.

J'AI GAGNÉ!
J'AI PERDU.
JE NE JOUE PLUS!

Personne n'aime perdre. Perdre n'est pas amusant.

Quand tu perds, tu penses peut-être que tu n'es ni aussi intelligent ni aussi bon que la personne qui a gagné.

Tu penses peut-être que tu es stupide ou bon à rien.

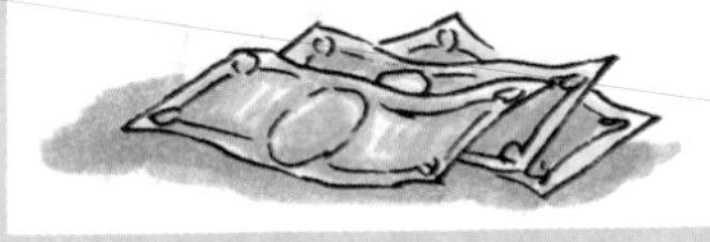

JE SUIS SI BÊTE! JE NE SAIS RIEN FAIRE!
HÉ HÉ
JE RESSENS LA MÊME CHOSE.
HRC

Quand tu n'es pas content de toi, tu penses peut-être que tu ne sais rien faire. Tu as peut-être l'impression que tu ne gagneras jamais.

JE NE SUIS QU'UN PERDANT!
JE NE SAIS QUE COASSER!

Si tu perds souvent, tu en arriveras peut-être à penser que pour gagner tu devrais *tricher.*

Si tu joues à un jeu et que tu enfreins les règles volontairement pour gagner, tu triches.

SI JE VEUX GAGNER, IL FAUDRA PEUT-ÊTRE QUE JE TRICHE!
TU NE VAS PAS FAIRE ÇA!

Il ne faut pas tricher dans le but de gagner.

Il existe d'autres moyens de gagner de temps en temps.

- Joue avec quelqu'un de la même force que toi.
- Ne joue pas trop souvent avec des personnes plus âgées que toi.

VEUX-TU JOUER AU MONOPOLY?
JE NE SAIS PAS. JE VAIS Y PENSER.
JE PRÉFÈRE UN JEU MOINS INTELLECTUEL.
HRC

S'il te faut jouer avec quelqu'un de plus âgé et de plus expérimenté que toi, essaie de trouver un jeu où ni l'expérience ni l'âge ne comptent.

Joue à des jeux que tout le monde peut gagner, des jeux où c'est le sort qui décide qui sera gagnant.

JE VEUX BIEN JOUER AVEC TOI, MAIS PAS AU MONOPOLY. JOUONS PLUTÔT AU MENTEUR.
HRC
1

Au lieu de tricher pour gagner, essaie de jouer à des jeux où tu risques d'être vainqueur.

Ne joue pas toujours à des jeux où tu perdras à coup sûr.

D'ACCORD, JOUONS AU MENTEUR.
JE VAIS FAIRE LE MENTEUR.

Avant de commencer à jouer à un jeu, assure-toi que tu en connais bien les règles.

Assure-toi que tous les joueurs comprennent bien les règles et les respectent.

PARLONS UN PEU DES RÈGLES AVANT DE COMMENCER.
OK!
JE NE SAIS PAS COMMENT JOUER!

Une fois que tu connais les règles, suis-les à la lettre.

Ne les enfreins pas.

Ne change pas les règles du jeu au beau milieu d'une partie.

JE N'AIME PAS LES RÈGLES DE CE JEU. JE VEUX LES CHANGER.
IL FAUT SUIVRE LES RÈGLES ÉTABLIES.
FLiPPP
BIEN SÛR, JUSTE PARCE QUE JE GAGNE!

Lorsque tu joues à un jeu avec quelqu'un, souviens-toi de ceci:

- tu joues d'abord pour t'amuser;
- il est plus important d'avoir du plaisir que de gagner.

Il ne faut donc pas que tu t'inquiètes de savoir si tu vas gagner ou perdre.

C'EST VRAIMENT AMUSANT!
J'ESPÈRE QUE JE VAIS GAGNER. JE DÉTESTE PERDRE!
HRC

Si pendant une partie un joueur triche, parle-lui gentiment.

Dis-lui que tu sais qu'il triche et demande-lui d'arrêter.

TU ESSAIES DE REGARDER MES CARTES ENCORE. TU TRICHES! S'IL TE PLAÎT, NE LE FAIS PLUS.
HRC
QUELLE CARTE JE JETTE?

Si la personne continue à tricher après que tu lui aies demandé d'arrêter, ne joue plus avec elle.

DÉSOLÉE, JE NE TRICHERAI PLUS.
IL A L'AIR FURIEUX!
HRC

Rappelle-toi qu'on ne peut pas toujours gagner. Quand il t'arrive de perdre:

- ne pense pas tout de suite que tu es un raté;
- ne pense pas que tu ne gagneras jamais;
- n'abandonne pas;
- pense aux choses que tu sais bien faire;
- pense aux fois où tu as gagné.

JE NE SUIS PAS UN RATÉ! JE PEUX GAGNER À L'OCCASION.
VOILÀ L'ATTITUDE À ADOPTER!

Il est important de traiter les autres de la même façon dont on aime être traité soi-même.

Si tu ne veux pas que les autres trichent, il ne faut pas que tu triches non plus.

C'EST AMUSANT DE JOUER QUAND PERSONNE TRICHE!
JE NE COMPRENDS TOUJOURS PAS CE JEU!